# 中国结

## 鉴赏篇

源泉 选编

中国轻工业出版社

# 目　录

# 绪 言

中国编结艺术，溯源中国古代用"绳结"捆绑器物或作为记事符号开始至今，已逐渐创作出各式各样的民间吉祥图案之结饰，自然地发展出一种独特民族风格之装饰性传统技艺。"结"在我国象征力量、和谐、充满温暖的人际关系。例如讲究集体力量的"团结"、表现少女情怀的"心有千千结"、甜蜜温情的"结发夫妻"和山盟海誓的"永结同心"。"结"一直是人类社会生活中不可缺少的抽象元素。

现在中国结艺正处于开始发展阶段，人们拾起这种古老的民间技艺，感觉有如失散多年的亲人重逢一般，大家以一股亲切、激情的心情迎接它的到来，短短数年之间形成流行风气，更多的人投入到了这一行列中来。与此同时，中国结艺的作品也已深入到我们生活的各个方面。各种搭配上中国结艺的饰品特别受人欢迎。为什么一段小小的绳子竟有如此的魅力呢？因为中国结艺不仅具有优美的造型、丰富的色彩，它更是中华民族的一份宝贵的文化资产。它如此丰富的变化，以及各种结形表现出的不同涵义，使人感觉相当的不可思议。正是如此，古人相信"结"具神力。而从某种意义上说，"结"这种内涵深刻的传统技艺体现了中华民族的文化精神，将这份宝贵的民族文化发扬光大，让人们的生活增添一份温馨，领受一份祝福，同时在手工劳作之余体会一种喜悦，正是本套书出版的目的。

中国结的编制，大致分为基本结、变化结及组合结三大类，其编结技术，除须熟练各种基本结的编结技巧外，均具共通的编结原理，并可归纳为基本技法与组合技法。基本技法乃是以单线条、双线条或多线条来编结，运用线头并行或线头分离的变化，做出多彩多姿的结或结组；而组合技法是利用线头延展、耳翼延展及耳翼勾连的方法，灵活地将各种结组合起来，完成一组组变化万千的结饰。

学习中国结艺的最后阶段是自行设计作品阶段。设计一组美观大方的结饰时，最重要的是先确定其用途和功能，再决定其大小和形状，同时考虑颜色的搭配和配饰的适当运用。饰品的应用讲究细腻精致、古朴优雅的风格。只要将饰品随心所欲地和结组灵活应用，把自己的艺术美感和浓浓情思融注其中，便能充分表现出中国传统艺术之美。

# 一 应准备的工具

制作工具可分基本工具与特定工具:
(一)基本工具
1.剪刀(锋利、尖嘴较适用)
2.尺 (布尺、卷尺、硬尺皆可)
3.结盘或插垫
4.专用钩针
5.打火机
6.镊子或尖嘴钳
7.透明喷漆
(二)穿孔工具(特定工具)

1.刀片(美工刀、铅笔刀)
2.强力胶
3.透明胶带
(三)缝珠子工具(特定工具)
1.针
2.穗子线(文化线)
3.穿针器
(四)锦心穿绕工具(特定工具)
1.毛线缝针或发夹
2.胶带

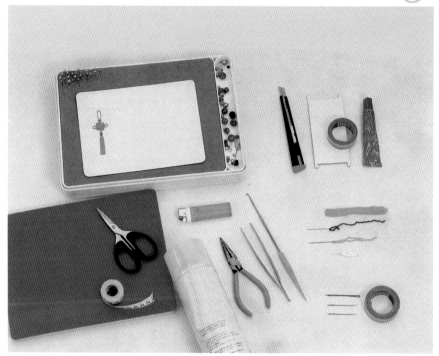

# 二 应准备的材料

**编结主要材料可归纳为五类:**

1.线材: 选择线的质材、外形, 当以中国结整体美观为主要重点, 中国结的特点是用线盘绕交叠产生有规律的纹理效果, 所以线的选择就是将此特性加以强调。

2.配饰: 所含范围包括形式多样的作品, 大到墙壁挂的, 小如身上戴的, 可根据造型需要按使用性质加以设计、安排。

3.穗子: 一个完整的中国结造型往往与其结体组合下方的配置技巧有着密切关联。穗子线又叫文化线, 它还可以当绣线功能缝制珠子、结体等, 因为颜色相同, 可省掉找寻同色绣线的麻烦, 只要在文化线尾端拉出线缕配合穿针器穿线即可, 且不需打结。

4.附属配件: 除中国结主体配饰之外, 其余皆属此类。

5.包装: 好的作品, 配上好的包装相得益彰。除一般的包装盒外, 还可以裱框方式把结体装裱起来, 将作品衬托得更突出、高雅。

# 三 制作五步骤
## ——筹、编、抽、饰、定形

## (一)筹　周全的筹备是最有效率的工作方法

准备、计划、拟定(如果只做一个单独结体，或老师统一安排教学或临摹书内示范图解，就可省略本项过程)。筹，包括设计造型、预定编制顺序、配饰、珠子穿入先后、结体长度、颜色及全部材料准备，直到挂在预定地方为止。

编制过中国结的读者皆有切身经验：做好一个中国结，离开椅子不止五次，因为遗漏配件、顺序搞错重来、颜色不好再去买、造型不理想再修改、挂耳太短、忘记穿珠子等，使原来只需一小时做完的作品花上三四个小时，甚至更久还没办法做好满意的造型。

●能有效率地做好一件作品，取决于事先准备是否完整，时间超过预算，不是编制的时间不够，而是做错修改、遗漏、欠缺材料或工具占掉的时间太多。

如何"筹"
1. 构想：　①打算安排在哪里？如做项链、车内挂饰、壁饰或发饰等。
　　　　　　②做多大、多长？如车内挂饰不可挡住视线，长度不可太长。
　　　　　　③配什么质料、颜色？如穿着古朴衣服最好用棉质线或跑马线，结体的搭配当以相得益彰的效果为安排重点。
2. 画简图：　将要编制的结在纸上画出草图，标好顺序。
3. 材料准备：①线的种类、颜色、长度。
　　　　　　②配饰尺寸、绳子可否穿入洞口。
　　　　　　△材料需全部搜集齐全核对清楚，放入一个容器，勿混合别种材料。
4. 使用工具：除基本工具外还要何种特定工具？
5. 注意事项：编结时哪个步骤最易遗漏，材料中哪些需防掉落等。

## （二）编 　形成结体结构的过程，即所谓穿、绕、挑、压的动作

初学者应先准备两条练习线，4号白色、粉红色斜纹线各120厘米，线头合并打结，连接成甲、乙两端不同颜色；按图解将基本结练熟，记住易错的地方，再开始用新线做正式结体，可保持作品干净、美观。

●有二种编结方式：徒手式编结，平摆式编结。

除了盘长结与大型变化结，大部分的基本结皆可按图解顺序以徒手方式学习。因盘长结徒手式编结过程比较复杂，为达到学习效果，初学者需以循序渐进的方式先学平摆式盘长结，待熟悉编与抽的要领后再学徒手编结，当可顺利完成。

●以理论作基础的编结观念使您跻身行家之列

盘长结的编结难度较高、复杂、延展范围广，并且可照自己的构想，设计各种样式的盘长变化结，所以盘长结系列的造型均是专家学者所钟爱的对象。

以往在展览会展示大型、复杂的变化组合结，对没有长期研究环境的业余爱好者，是可望而不可及的深奥技术，这是因为过去尚未有人将中国结的构成因素做系统的理论分析，致使实际编结技法缺少理论基础，众人皆难看清盘长结延展的关键因素。

# (三)抽

编结者的艺术涵养、心情好坏，可经由"抽"的步骤反映在作品上面

抽即调整。穿绕完毕，检查核对是否有错误地方。结体编好会有多余的剩线，呈松散状，需要进行抽的步骤把多余剩线抽到尾端，整个结体才会显现。但是结形的标准需靠个人的审美观衡量，如有人喜欢把结耳拉大，有人却觉得这样反而失去主体的分量，有人在结耳处做各种弧度的变化。但有三项可定标准：

1.结体的松紧度要平均，四边必须等宽才能对称，以尺测量即可。

2.每个回转线的距离相等，横直对称，每个结缝间隙就会整齐，可用钩针尾端调整。

3.正面的结缝要与背面的结缝对齐，将结体对着光看，可从结缝看到光线。

●盘长结"抽"的过程至少要做三次：

第一次，先把扣住珠针的结耳全部放开，把松散的空间移至结耳处，在保持整齐的形状下，将外缘结耳呈放射状拉开，使结体慢慢缩小，直到形成预定尺寸为止，但不是"紧"，以各线空间的距离约半条线的宽度为标准。

第二次，结体的空间移到结耳，所以结耳显得更长，几乎与邻耳纠缠起来，本次抽线是将这些结耳多余长度全部移到尾端。

第三次，整个结体形成，但是还需要调整，如两边结耳不对称、结体空隙不平均等。酢浆草结、如意结和大部分组合结是抽与编的步骤交叉进行，不是全部编好再抽线，所以有的作品不能单独进行编的步骤，必须编、抽交叉进行。

# (四)饰

装饰、修整、遮掩及补充

纵然是简单的作品也须经过"饰"的过程才能将完整的结体发挥应有的功能，譬如一个以盘长结打好的玉佩，会留下两个线尾，必须以项链头接上两个线尾或做调绳结，使结体可供穿戴，此即饰的过程。

饰，并非一定在编、抽过程之后才进行，本示范结在第三个步骤就需穿上

两个玉珠，直到做坠珠串均是饰的过程。所以制作一个作品，编、抽、饰经常是合并交叉制作，并无规定何者先、何者后的顺序；若"筹"的过程没有事先规划好，容易把步骤搞错，造成拆结重做的后果。

在设计一个作品时，原来计算起来总长度应可完成，可是实际编制却因忘了算入挂耳的长度，致使长度差 20 厘米，会有前功尽弃的心情。此时当可采用接线技巧，继续编结未完部分，等抽好作品会剩更长线尾，再将其剪断即可，这也是"饰"的方法。

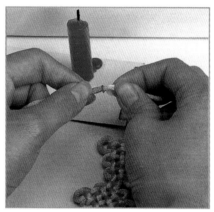

# （五）定形　长久保持结体最佳形态，延长作品寿命

经过编、抽、饰的过程，一件以自己双手、精神、艺术修养所产生的作品已经大功告成，当陶醉之时，切记整个结体还是经不起别人的触摸，此时若不即刻进行定形处理，会随时发生变形，所以只要认为结体是在最佳情况，就要马上进行"定形处理"。

**方法**：找个空间将不用的报纸平放在地板上（报纸是为防止喷漆和原料沾到器物），再将白纸（没有印刷的纸）放上，把调整好的理想作品翻到"背面"（要喷漆的面），放在白纸上面，取透明喷漆并摇动，使之均匀，距作品5～10厘米，喷在作品上面，让漆液渗入线体，对容易变形、松散的部位多喷一些，但不能太多，否则会渗到结体正面（可先在旁边以不用的线头

试喷）。喷好的作品好像沾到水一样，颜色会变深，但会慢慢恢复，待约2～3小时，作品会慢慢硬化，经4～5小时即可正常使用。

处理完毕的结体，不特别注意是看不出来的。但是一经"定形处理"，外形就不再改变，所以一定要在结体最佳的形状下，进行定形处理。

综上所述，编、抽、饰三个过程没有固定何者在先、何者在后，应视整体组合的特性安排制作顺序。若没按制作顺序或遗漏一个环节，将会被迫把做好的结体拆掉重编；所以不妨在"筹"的过程中多花一些精力、时间、细心设计、安排，以达到最有效率的制作过程。

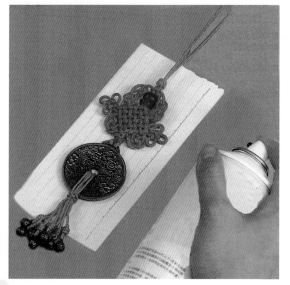

# 四 制作注意事项

## (一)制作的周围环境

1. 避免小孩接近。
2. 勿在闲杂流动人员多的营业场所进行编制。
3. 最好在地毯上面制作。
4. 玉佩、茶壶以卫生纸或柔软的布料包上，再以橡皮筋束牢（见图1）。
5. 玉佩也可放在结盘上以珠针钉牢（见图2）。
6. 配饰上面暂时绑上短绳以珠针固定（见图3、图4）。

## (二)制作前的准备

1. 洗净双手。
2. 将每个线头、线尾、须线处理好。
3. 把准备好的整套材料单独装在一个容器里面。
4. 准备好一口气把整个作品编制完毕，避免各种突发事情干扰。

△用线长度，是以结体制作所需长度为主，挂耳长度没有算入，所以必须另加自己所拟好的挂耳长度。另一种方法是把剩线往挂耳处调整，使剩线当挂耳更为经济，但是比较费时间。

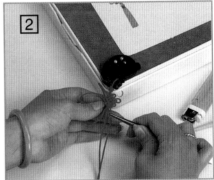

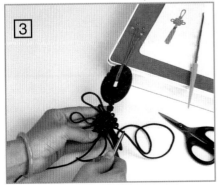

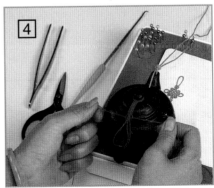

# 五 结艺作品实例

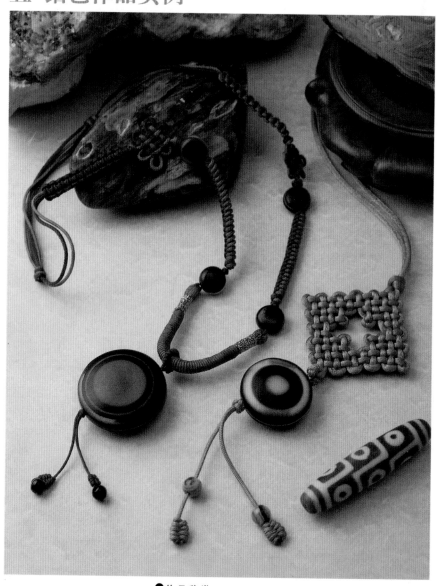

●作品欣赏
●结　　编：平结、盘长结、8字结、十字结、双联结

●图解说明请见101页

●图解说明请见 91 页

●图解说明请见99页

●图解说明请见 85、87 页

●图解说明请见 90、91 页

●图解说明请见 88 页

●图解说明请见 88 页

●图解说明请见 85、86 页

●图解说明请见 89、90 页

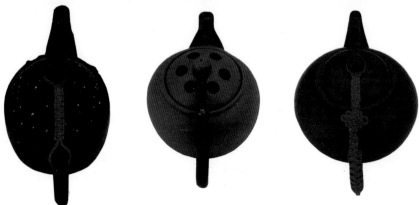

●图解说明请见 86 页

●图解说明请见 92 页

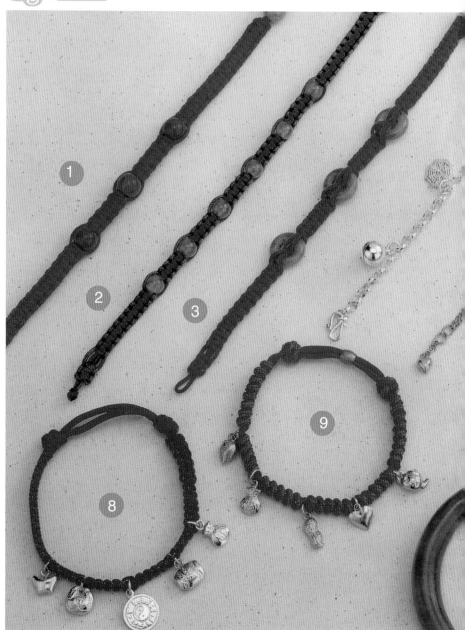

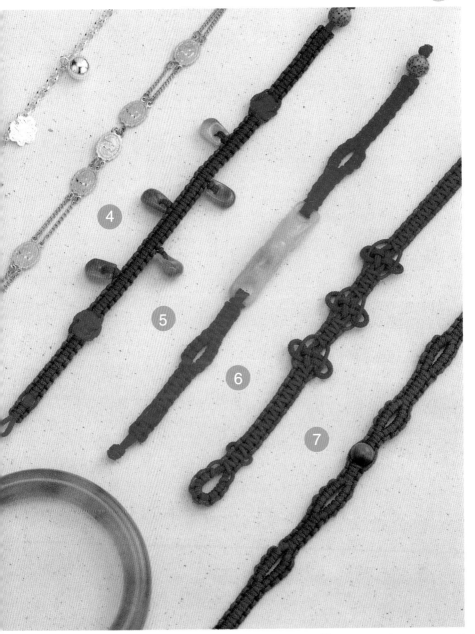

●图解说明请见 81～84 页

●图解说明请见 93、94 页

●图解说明请见 85、87 页

●图解说明请见 94、95 页

●图解说明请见 96 页

●图解说明请见 100 页

●图解说明请见 102 页

●图解说明请见 97 页

●图解说明请见 98 页

●图解说明请见 103 页

●图解说明请见 104 页

# 六 结艺作品欣赏

●作品欣赏
●结　编：纽扣结

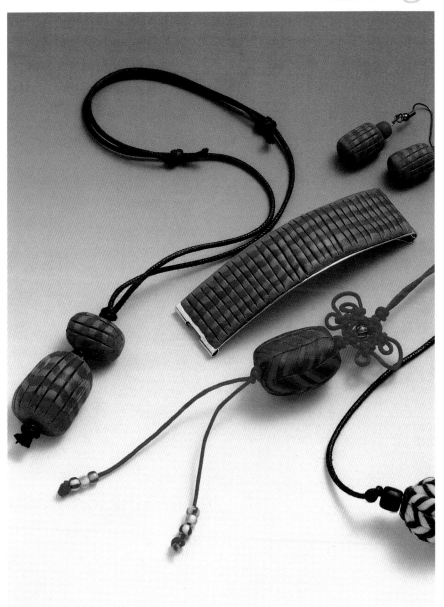

● 作品欣赏
● 结　　编：双耳盘长结

●作品欣赏

●结　　编：盘长结、纽扣结

●作品欣赏

●结　　编：团锦结、盘长结、酢浆草结、双联结

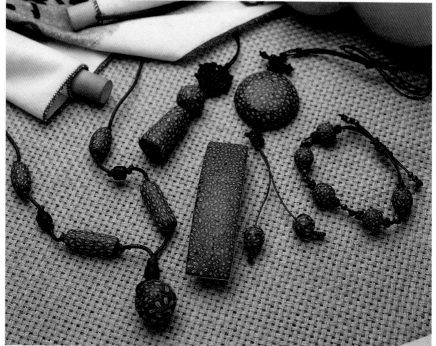

●作品欣赏
●结　编:
　　　花端结
　　　平　结
　　　吉祥结

●作品欣赏

●结　　编：十字结、蝴蝶结、8字结

●作品欣赏
●结　　编：三耳盘长结、双全锦结、如意结

●作品欣赏

●结　　编：猫眼、盘长结变化、套箍、八股变化、十股变化

●作品欣赏

●结　　编：盘长结、八股变化、套箍、单线纽扣

●作品欣赏

●结 编: 盘长结、向日葵结、八股变化、套箍、绕线

●作品欣赏

●结　编：串珠、8字结

●作品欣赏

●结　　编：金刚结、八股变化、套箍、绕线

●作品欣赏
●结　　编：绕线、套箍、平结、8字结

●作品欣赏

●结　　编：长盘长变化、8字结、双联结、猫眼、八耳团锦结、绕线

●作品欣赏
●结　　编：盘长结、金刚结、向日葵结、平结

●作品欣赏

●结　　编：斜卷结、8字结、平结、十字菱、绕线、盘长变化、团锦结、纽扣结

●作品欣赏

●结　　编：团锦变化、套箍、流苏、盘长结、四股编、绕线、酢浆草结、双联结

●作品欣赏

●结　编：八股变化、套箍

● 作品欣赏

● 结　　编：磬结变化、八耳团锦结、吉祥结、盘长变化

●作品欣赏
●结　　编：十字结、平结、8字结、八股变化、纽扣结

●作品欣赏

●结　　编：纽扣结、麦穗结、双钱结

●作品欣赏
●结　　编：纽扣结、麦穗结、双钱结

●作品欣赏

●结　　编：纽扣结、麦穗结、双钱结

●作品欣赏

●结　　编：网结、蝴蝶结、袈裟结、连续平结

●作品欣赏

●结　编：蝴蝶结

●作品欣赏
●结　　编：万字结

●作品欣赏
●结　　编：网结、玉环结

# 七 各种编制技巧

## （一）特小孔穿洞技巧

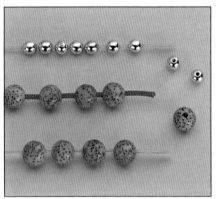

　　只要提到小孔珠子穿线，不知考倒多少专家。有太多的造型设计需要穿珠子才能体现效果，只因洞口太小穿不过去而放弃。这个穿洞技巧使大家多了一片设计空间，请珍惜利用。

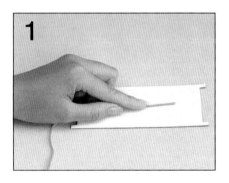

1　把要穿小孔的线放在垫板上（不怕刮伤的垫物）。

**使用工具**：1. 厚垫纸。

　　　　　　2. 刀片或剪刀。

　　　　　　3. 小罐强力胶。

2  先用针尖将线端别散，形成分散状
   的线缕。

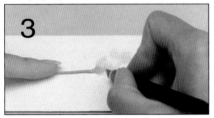

3  用剪刀或刀片，把线缕部分刮掉，使
   线尾成稀疏状。

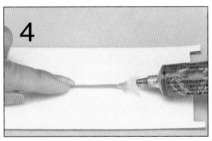

4  倒上少许强力胶。

5  随即把线尾压平，或扭转成尖状。

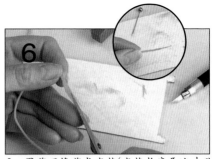

6  用剪刀修剪成尖状(尖状长度要比珠孔
   深度长才可)。

7  先用针将珠孔的杂物清除，穿入尖状线
   尾，把在珠洞末端露出的线尖慢慢拉出。

8  若要两条线一起穿，就把两线一起上
   胶，合并处理。

9  若珠子原来就穿成一串，想把穿线换掉，
   只要把两端线头依前述方法对接并上
   胶扭紧，待牢固即可直接穿送珠子。

# （二）穿线、须线处理

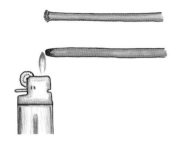

●在穿绕结形时，若线头的须线阻碍穿梭，用打火机将须线烧整齐即可。

●用两条线穿珠子的时候，只要将贴布包住线头即可顺利穿过。

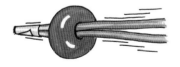

●穗子线穿珠子，可先以两条细线引过。

## 免打结的缝珠子处理

●以前缝东西都要在线尾打个结，比较麻烦，现在可利用"穗子线"处理，先选择颜色相同的穗子线，从尾端抽出更细的线缕出来，然后再缝制。

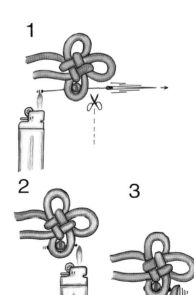

# （三）接线技巧

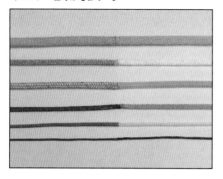

1.编制各种作品每次都会剩下两段多余的线头，这是用线长度扣除耗线长度多余的部分。为了不要有多余线段，可直接用耗线长度编结作品，不足的长度再以剩线接足，待编、抽完毕将剩线剪掉即可。

2.线的长度剪好，经穿绕到后段才发现长度不够，致使无法编完全部作品，此刻即可取出剩线接上不足的长度，待抽结完毕再把接线剪掉。

| 使用工具： | 1.打火机（或蜡烛）。 |
| | 2.剪刀。 |
| | 3.透明胶带。 |

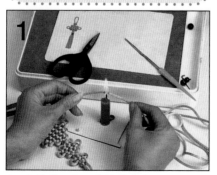

1 要接的两个线头修剪整齐，两线头相对用蜡烛或打火机烘烤。

2 趁着两线尚未硬化之前，即刻将两线头对准相互顶接，待凝固并试拉是否牢固。

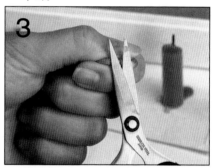

3 有突出的地方再以剪刀修剪，使接线点平滑。

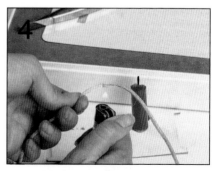

4 若还有突出的线缕，可再略作烘烤。若要使穿缝更顺利，可用胶带包牢。

# （四）锦心穿绕法

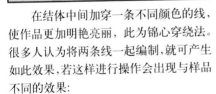

在结体中间加穿一条不同颜色的线，使作品更加明艳亮丽，此为锦心穿绕法。很多人认为将两条线一起编制，就可产生如此效果，若这样进行操作会出现与样品不同的效果：

1.不能有规律地把同一颜色固定偏靠在左边或右边，致使颜色调配不一致。

2.同一条线结耳的安排也不能固定在背面或正面，致使整个作品呈现不整齐的现象。

**使用工具:**1. 毛线缝针或发夹。

　　　　　2. 胶带。

**耗线长度:**与制作结体的耗线相同，如磬结的耗线长度是180厘米，则锦心穿绕的长度就是180厘米。

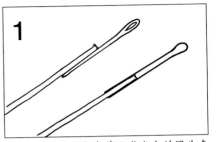

1　毛线针的针鼻在前面或发夹的圆头在前面。穿绕的线头置于针尾一半，此为穿针的代替工具。

2　注意包扎穿针的胶带角度，须包扎牢固才不会在穿结中半途脱落。

3　被穿绕的结体必须预留足够的结缝，大约是穿线的1.5～2倍，结体与结耳要抽到最佳形状。

**4**

4　本图是把结体各穿绕的线路画出，让
　读者能看清图形，若实际编制时，不
　需调像本图。若穿线绕到后面，请将
　结体翻到后面穿绕，但图形大部分在
　正面作图解，以求方位的正确性。

**6**

跨穿

6　'跨穿'的方法如图。锦心穿绕法的
　关键在此，才能让穿线固定在同一边。

**5**

5　第一个回转线穿完，再换穿第二个。
　回转线需注意，不是继续跟着绕，请
　见图6。

**7**

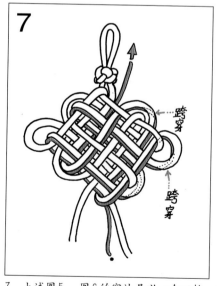

跨穿

跨穿

7　上述图5、图6的穿法是以一个回转
　线为单位，每个回转线的交接处，必
　须在背面以图6跨穿的方法穿到正面。

8 乙线穿毕，换穿甲线，自尾端沿着起头部分穿绕，要在背面跨穿。

10 锦心穿绕完毕，把金线很巧妙地藏入结体，剪断即可。

9 穿到后段可用钩针尾先把线路通开再进行穿线，可更顺利。

11 作品完成。

# （五）坠珠串制作方法

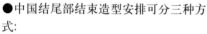

●中国结尾部结束造型安排可分三种方式：

　　1.直接绑上配饰。

　　2.穗子装饰。

　　3.坠珠串装饰。

　　其中坠珠串装饰造型使用较少，配合书内的穿洞技艺、调绳结图解，将使坠珠的装饰在尾部结束造型增加另一种安排。此种造型在主体的编制须以"倒编"为之。

**材料：** 1.坠珠8粒。

　　　　 2.6号（细）跑马线，50厘米。

　　　　 3条、70厘米1条。

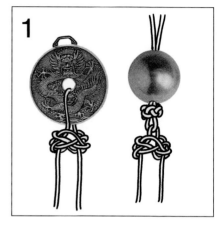

1　穿过佩饰洞孔或结耳，打纽扣结，不要抽紧。

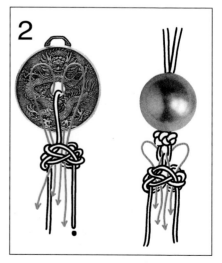

2　其余3条依次穿入并排列整齐，不要有交叉情形。

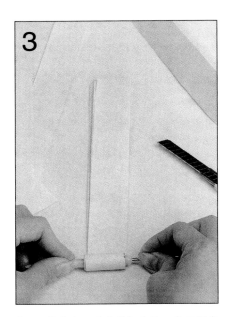

3　四张叠合，以钩针柄为轴，卷至预定直径。

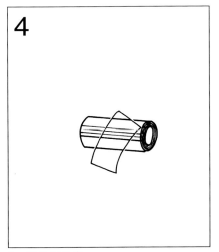

4　用胶带贴牢。

## 穗子制作

工具：1. 剪刀。
　　　2. 橡皮筋。
材料：1. 穗子线32条。
　　　2. 直径1.2厘米、长3厘米套管2只。
　　　3. 金葱线或配色线。

1　取15条穗子线，对齐线头，在中心点处剪断，成30条。

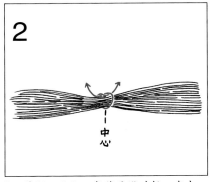

2　平摆，另取一条穗子线对折，在中心处打结、束牢，但不可太紧。

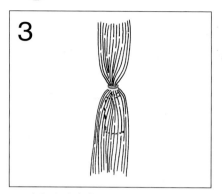

3 均匀地盖在套管上面。

4 另一端的穗子折回，也均匀地包住套管。

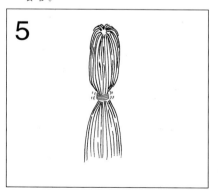

5 用橡皮筋在套管底部暂时束紧，使流苏不致松散。

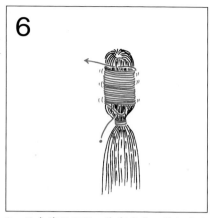

6 用金葱线绕紧，绑牢修剪，剩余线尾塞入里面即成。

7 套管可绕金葱线、穗子线或套箍结，尾线穿入两只套管合并打结，完成。

# 八 结艺作品实例图解说明

## 28页2号手镯制作图解

**材料:** 玉珠 外径6毫米6粒
玉珠 外径8毫米1粒
7号跑马线 两色各130厘米

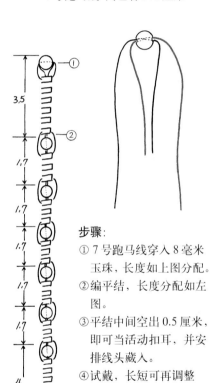

**步骤:**

① 7号跑马线穿入8毫米玉珠,长度如上图分配。

② 编平结,长度分配如左图。

③ 平结中间空出0.5厘米,即可当活动扣耳,并安排线头藏入。

④ 试戴,长短可再调整(拆结可用钩针头)。将剩余线头拉入结内。

⑤ 留0.8厘米打双联结,剪掉线头,烧线处理。

## 28页3号手镯制作图解

**材料:** 小玉环 外径1.2厘米3枚
菩提珠 外径8毫米1粒
7号跑马线 150厘米、75厘米各1条

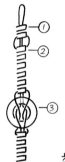

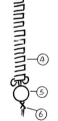

**步骤:**

①请见2号手镯编制方法。

②活动扣耳,中间空0.5厘米即可。

③小玉环穿法。

④在后三个平结安排线头藏入。

⑤穿菩提珠,试戴并调整长短(拆结可用钩针头),将剩余线头拉入结内。

⑥打双联结,线头剪断、烧整。

# 29页4号手镯制作图解

**材料**：大孔玉质小木鱼6枚
菩提珠 外径8毫米1粒
6号跑马线 120厘米1条
（将线芯抽掉）
7号跑马线（特细）180厘米1条

**步骤**：

①起编。

②空出0.5厘米，做活动扣耳。

③以6号跑马线（芯线）编藻井结，两边编线空过结耳。

④套环结绑住小木鱼。

⑤藻井结。

⑥安排拉线。

⑦试戴，增减长度，再把线头穿入拉线拉出。

⑧穿菩提珠，打双联结，线头剪断、烧整。

# 29页5号手镯制作图解

**材料**：长形玉饰1只
菩提珠 外径8毫米1粒
6号跑马线 50厘米2条
7号跑马线（特细）100厘米2条

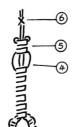

**步骤**：

①先把玉饰固定好以免掉落，取6号跑马线双折打套结，两边须等长。

②编平结。

③套环结（请见下图）。

④活动扣耳，将平结空出0.5厘米即可。

⑤试戴，增减长度，安排拉线。

⑥空出0.5厘米当扣耳，将线头穿入拉线拉出。

⑦穿入菩提珠，不必留空间，打双联结，线头剪断、烧整。

## 29页6号手镯制作图解

**材料**：玉珠 外径8毫米1粒
6号跑马线 80厘米1条（芯线）
7号跑马线 180厘米1条

**步骤：**

①芯线与编线（7号）自中心点对折，编套环结7次，弯成水滴形。

②空出0.5厘米当活动扣耳。

③编两个平结，再留0.5厘米也当活动扣耳。

△操作方法：打开扣耳，把两个平结拨下。关闭扣耳，将两个平结推上。

④以芯线编双线头酢浆草结，编线穿过结耳。

⑤安排拉线。

⑥试戴，增减长度，穿珠子，若孔小可直接烧线头，孔大需打双联结。

## 29页7号手镯制作图解

**材料**：玉珠 外径8毫米2粒
6号跑马线 80厘米1条（芯线）
7号跑马线 230厘米1条

**步骤：**

①平结起编。

②活动扣耳，中间空0.5厘米即可。

③套环结。

④穿珠子。

⑤安排拉线。

⑥试戴，增减长度，穿珠子，打双联结，线头剪断、烧整。

## 28页8号手镯制作图解

**材料**：小银饰5枚
　　　　5号线 60厘米1条
　　　　7号线 150厘米1条

**步骤**：
①平结，其中芯线只有1条，在20厘米
　处起编。
②编3厘米，银饰耳是被芯线穿过，每
　隔1.5厘米穿一个，共4次。
③安排拉线。
④编线藏入平结。
⑤量好手腕长度，编活动调绳结。

## 28页9号手镯制作图解

**材料**：小金饰5只
　　　　大孔铜环1只
　　　　6号跑马线 红色、深粉红色
　　　　各100厘米

**步骤**：
①起编方法，两线自20厘米处开始编棕
　串结，前后各编8次，中间部分各编
　5次，如图示。
②两边线头对穿大孔铜环。
③编纽扣结，编结同时须在中心点穿入，
　有两条对穿的线头要特别注意。
④两边编好，先不要抽紧，须试戴再作
　调整，操作顺利才抽紧，线头剪断、
　烧整。

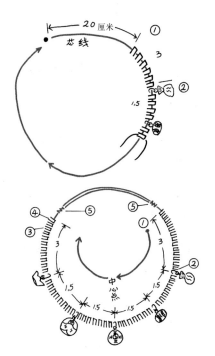

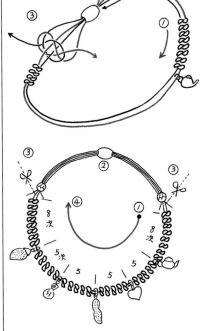

# 22 页钥匙链制作图解

**材料**：4 号线 80 厘米
　　　　椭圆木珠（中）1 粒
　　　　钥匙圈 1 只

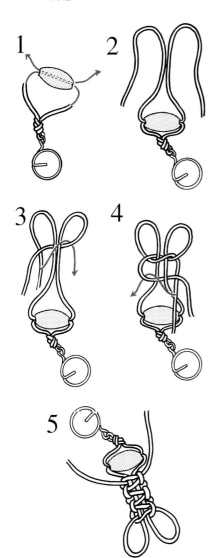

# 31 页右图作品

**材料**：斜纹线（细） 160 厘米、50
　　　　厘米各 1 条
　　　　配饰 1 只
　　　　穗子线 12 条

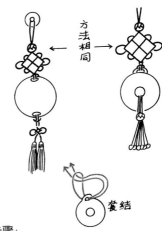

**步骤**：

①取 50 厘米斜纹线，中心对折，用
　套结套住配饰。

②编双线头酢浆草结。

③束腰形穗子。

④取 160 厘米斜纹线，中心对折，以
　套结套住配饰。

⑤编盘长结。

⑥将盘长结抽到理想形状，不需修改，
　再编纽扣结。

⑦定形处理。

⑧如制作车饰，请先量好长度再接上吸盘。

# 17 页右图作品

**材料**：4 号跑马线 160 厘米 1 条
　　　　6 号跑马线 30 厘米 3 条，
　　　　60 厘米 1 条
　　　　大铜饰 1 只，坠珠 8 粒

## 26 页右图铜佩作品

**材料**: 铜饰 1 只

珠子 0.5 厘米 6 粒

5 号跑马线 160 厘米、

60 厘米各 1 条

穗子线 10 条

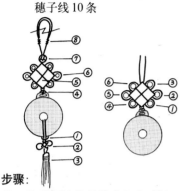

**步骤**:

① ~ ③ 60 厘米跑马线中心点对折，编套结在铜饰下方，其余编法与穗子制法相同，差别在 1 只穗子与 2 只穗子。

④⑤ 160 厘米跑马线中心点对折打套结，编盘长的结耳须预留空位准备缝珠子。

⑥缝珠子方法见中间图处理顺序。

⑦纽扣结。

⑧调绳结方法。

## 22 页钥匙圈作品

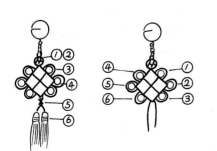

## 26 页玉蝉作品

**材料**: 玉蝉 1 枚（注意孔洞要穿得过）

小玉环 4 只

内径 4 毫米菩提珠或玉珠 1 粒

5 号跑马线 160 厘米 1 条

●准备材料的先决条件是先要看看配饰、珠子的洞口是否可穿过，或可自行加大洞口。

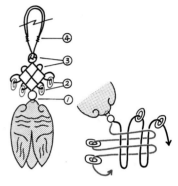

**步骤**:

①穿入玉蝉洞口，洞口如果弯曲，只要将尖状尾折弯即可穿过。

②在编结盘长结的同时穿上 4 个玉环。

③盘长结须调整至满意再编纽扣结。

④调绳结须量好长度或夹上项链头。

**材料**: 4 号斜纹线 160 厘米

银珠子 6 毫米 6 粒

穗子线 12 条

单股银葱线 180 厘米

**步骤**:

①②中心点挂住钥匙圈，编纽扣结。

③盘长结的结耳需预留空位，准备缝珠子。

④缝珠子顺序请见左图标示。

⑤⑥双联结，束腰形穗子。

# 17页左图作品

**材料**：5号斜纹金葱线 160厘米、
　　　　60厘米各1条
　　　　大铜佩1枚
　　　　坠珠2粒
　　　　穗子线16条
　　　　小双圈2只（挂坠珠用）

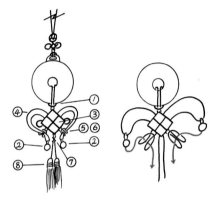

**步骤**：

①160厘米斜纹线穿入铜佩打套结，两
　边须等长。

②将坠珠与双圈组合。

③编盘长结，于甲线第3转点处、乙线
　第16转点处各穿入坠珠。

④在抽线进行当中，将甲、乙两线的上
　半段结耳留5.5厘米，坠珠也留在结
　耳末端。

⑤盘长结下半段结耳也各留4厘米。

⑥将下半段结耳做成套结状（可用珠针
　固定），上半段结耳连同坠珠穿过套结。

⑦抽调整至满意，底下编双联结。

⑧制作穗子。

⑨取60厘米线，编双线头酢浆草结、
　纽扣结。

⑩定形处理。

# 31页左图玉饰作品

**材料**：5号斜纹线 180厘米1条
　　　　玉环1只（内径约3.5厘米）
　　　　大孔玉珠1粒
　　　　穗子线16条
　　　　吸盘1只

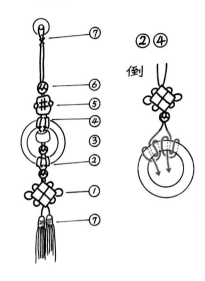

**步骤**：

①本作品是自下往上制作，可减少用线
　长度，先编好盘长结、纽扣结。

②编卷线结如上图。

③编纽扣结，穿入大孔玉珠。

④编卷线结。

⑤藻井结。

⑥纽扣结。

⑦挂耳可做调绳结或绑上吸盘，注意长
　度，量好再剪断。

# 19页佛珠念珠作品

**念珠特定粒数:**

| | |
|---|---|
| 18 粒 | 54 粒 |
| 27 粒 | 108 粒 |

●此为佛家规定念珠数目,具有持殊典
　故及意义。

●整条念珠内的隔珠、色珠、三孔珠皆
　不可充当念珠数目。

●若不是念珠,只供装饰用,就不需要
　讲究,只要适合所需长度即可。

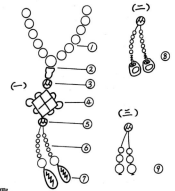

**步骤:**

△三种作品只有尾部的差异,其余皆相同。

①穿珠子。

②穿三孔珠需有特殊工具辅助,可利用
　回形针或将珠针弯成小钩状。

③须把项链串拉紧才不会松动,并在纽
　扣结抽线阶段拉牢。

④盘长结,作品完成后需要定形处理。

⑤纽扣结。

⑥穿小粒珠子、菩提珠。

⑦8字结。

⑧调绳结与绑坠珠相同。

⑨如孔洞小,可直接在线尾烧整。

⑩定形处理。

# 20页金棕色项链作品

**材料:** 5号斜纹线 250厘米1条
　　　　 穗子线 每束两条共10条
　　　　 花形扁环6只
　　　　 花形穗盖(小)5枚
　　　　 铜针5支
　　　　 项链头1副

●图示请见89页下方。

**步骤:**

①5号斜纹线两条,自90厘米处打记号
　结,开始编盘长结,将结体调整到理想
　形状,而后盘长结以此为标准。

②纽扣结,穿入花形扁环,纽扣结。

③第①②步骤为一循环,再编二次。

④⑤⑥将记号结拆开,右边从第②步骤
　循环编制,再以第①②步骤编制二
　次,编过的结体一定要调整理想才继
　续编第二个,依此类推。

⑦绞线方法,两边长度须对称比好,再将
　链头夹上。

⑧流苏是以两条穗子线制成,用铜针将
　折好长度的穗子线以尖嘴钳拧紧,剩
　余尾段穿入流苏盖,钩住盘长结的角
　耳即成。

# 21页乳白色项链作品

**材料:** 5号斜纹线 250厘米2条
　　　　 花形扁环 6只
　　　　 金珠子 5毫米10粒
　　　　 项链头1副

●图示请见89页下方。

**步骤:**

△本作品的编结过程除了在各盘长结角
耳缝上金珠,省略流苏之外,其余过
程皆与金棕色作品相同。缝金珠子的步
骤须在每个盘长结抽好后马上进行,才
不致变形。

## 23页粉色发簪作品

**材料**: 发簪1支

6号（细）跑马线 160厘米1条

穗子线3条

中山线头夹1只

金珠子6毫米1粒

穗子盖（中）1只

铜针1支

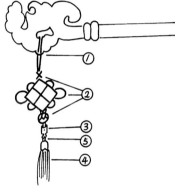

**步骤**:

① 6号跑马线中心点对折，打套结。

② 双联结、盘长结、纽扣结。

③ 用中山线头夹夹住两条线头再剪断。

④ 穗子线对折3次，用铜针将穗子线捆紧。铜针穿过穗盖、金珠，钩住中山线头夹，即可完成，但须注意定形处理的方法。

## 23页金棕色发簪作品

**材料**: 发簪1支

6号（细）跑马线 160厘米1条

穗子线7条

饰珠1粒(两条线可穿过的洞)

单股金葱线 90厘米1条

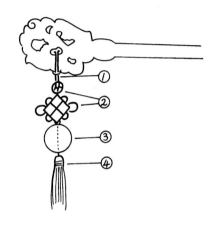

**步骤**:

① 6号跑马线中心点对折，打套结。

② 纽扣结与盘长结。

③ 调整盘长结至满意，穿珠子。

④ 束腰形穗子。

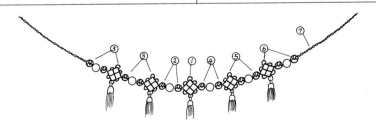

# 23页红色发簪作品

**材料**：发簪1支
　　　　6号（细）跑马线 160厘米1条
　　　　饰珠5粒（内径3毫米）
　　　　金珠子4毫米10粒，
　　　　金珠子6毫米1粒
　　　　T形铜针5支

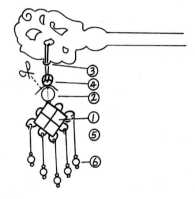

**步骤**：

① 6号跑马线直接编好盘长结。

②两线头穿过饰珠。

③两线头穿过发簪。

④用穿过的两线头编纽扣结，将中心点调大，让盘长结可穿入，比好挂耳长度再抽紧，剩余两条线头剪断、烧整。

⑤把调整好的盘长结做定形处理。

⑥铜针穿好珠子，尾端以尖嘴钳弯成圈状，挂在5个结耳上面即可。

# 18页深绿色吊饰作品

**材料**：5号（中细）跑马线220厘米1条
　　　　玉佩1枚（约5.3厘米）

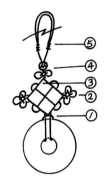

**步骤**：

① 5号跑马线中心点对折，套结绑住玉佩。

②甲、乙两条线各在35厘米处编好酢浆草结。

③盘长结。

④将结体全部调整好，再编双线头酢浆草结与纽扣结。

⑤编调绳结。

# 18 页咖啡色吊饰作品

**材料**：5 号（中细）跑马线 240 厘米 1 条
6 号（细）跑马线 50 厘米
1 条，70 厘米 3 条
大圆饰珠 1 枚
小玉珠内径 1.5 毫米 8 粒

**步骤**

●本作品的大圆饰珠因为上、下孔洞是各自独立，并不相通，所以上、下部分要分别制作。大部分饰珠的孔洞是上、下贯通，整个制作过程就有很大的差别。

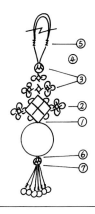

① 5 号跑马线穿上饰珠，两边等长。
②与 90 页②③步骤相同。
③将结体调整好，编如意结与纽扣结。
④定形处理。
⑤调绳结。
⑥下层坠珠制作，将 4 条 6 号跑马线穿过饰珠底层，各线须等长，其中有两条较长，是要打纽扣结。
⑦制作坠珠串。

---

# 15 页项链作品

●15 页的两个作品制作过程相同，仅饰珠与玉珠的差别，因此做合并图解说明。

**材料**：6 号跑马线 230 厘米 2 条
椭圆配饰各 1 枚
玉珠（菩提珠）14 毫米各 2 粒，
12 毫米各 2 粒
项链头各 1 副

**步骤**：
① 6 号跑马线两条，在中心点暂时打记号结，先从一边开始，纽扣结、穿珠子。
②编纽扣结、盘长结、纽扣结，此为一组。注意，编第二个结体之前必须确定不会再回来调整第一个结体才行。
③穿珠子。
④重复步骤②相同。
⑤拆开记号结，自步骤①～④再编一次。
⑥绞线。
⑦试戴，两边必须等长，再夹上项链头。

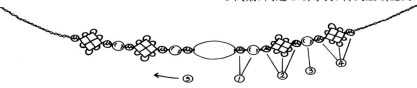

# 27页项链作品

●本页图解中，盘长结、纽扣结、双联结、酢浆草结四种结体相互排列运用，其步骤在此不再重复说明。

**黑色项链**

**材料**：6号跑马线 230厘米2条
穗子线 10条每束2条
花形扁环6只
花形穗盖（小）5只
铜针5支
项链头1副

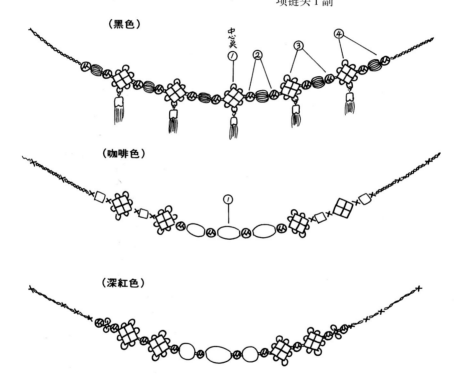

（黑色）

（咖啡色）

（深红色）

**咖啡色项链**

**材料**：6号跑马线 230厘米2条
椭圆粗陶珠3粒
白色粗陶珠10毫米4粒
项链头1副

**深红色项链**

**材料**：6号跑马线 230厘米2条
椭圆花珠1粒
圆花珠10毫米2粒
项链头1副

## 30页金黄色倒复翼盘长结作品

**材料**：5号跑马线 270厘米1条
6号跑马线 50厘米3条，
70厘米1条
大铜佩1只
坠珠8粒

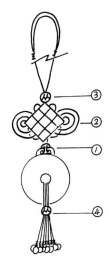

**步骤**：

① 5号线以套结将铜佩绑牢，两边长度
要相同。

②做倒复翼盘长结。

③抽线调整到认为理想、不必修改，再
编组扣结。

④坠珠串。

## 30页红色回形盘长结作品

**材料**：5号跑马线 450厘米1条
6号跑马线 50厘米2条
穗子线26条
古铜组扣1枚
玉珠2粒
吸盘1只

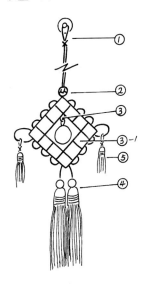

**步骤**：

①取5号跑马线，穿上吸盘，打双联结（若
不用吸盘则可省略）。甲线留170厘米，
乙线留250厘米，定好挂耳长度。

②打组扣结。

③开始做回形盘长结，乙线绕到第四步要
记住穿上铜扣。抽线，是本结较费时间
的步骤，一定要调整到结形理想的程
度。

④穿上玉珠，做穗子，一边7条。

⑤取6号跑马线，穿过角耳，打双联结，做
穗子各用4条。

⑥定形处理。

# 30 页咖啡色作品

**材料**: 5 号跑马线 200 厘米 1 条
玉佩 1 只
玉珠 1 粒

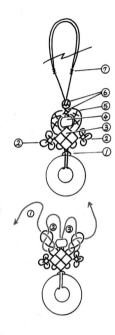

**步骤**:

① 取跑马线,中心点对折,用套结绑上玉佩。

② 甲、乙两线各在 35 厘米处编好酢浆草结。

③ 盘长结,运用乙线先编法,在两侧方位的结耳留出 5 厘米以便做双钱结。

④ 甲、乙两线穿过玉珠。

⑤ 双钱结绕法。

⑥ 结耳 3 个回转转编酢浆草结,将全部结体调整到理想形状才编纽扣结。

⑦ 调绳结。

⑧ 定形处理。

# 32 页玉蝉项链作品

**材料**: 5 号跑马线 300 厘米 1 条
玉蝉 1 只(洞口要大)
小玉环 4 只
玉珠(大孔)1 粒

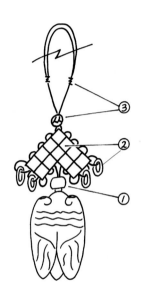

**步骤**:

① 5 号跑马线穿过玉蝉、玉珠,两线对齐。

② 编到磬结在甲线第 13、15 转点处及乙线第 27、29 转点处各穿 1 只小玉环。

③ 抽,调整到理想形状,编纽扣结与调绳结。

# 32页红色作品图解

**材料**：5号（中细）跑马线 350厘米、
50厘米各1条
穗子线12条
玉珠 8毫米2粒
大铜佩1只

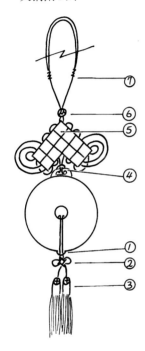

**步骤**：

① 50厘米5号线在铜佩下方编上套结。

②编双线头酢浆草结。

③两线头穿上玉珠，并编十字结的穗子。

④350厘米5号线编上套结，两边须等长。

⑤倒复翼磬结。

⑥全部调整好，不需修改时再编组扣结。

⑦调绳结。

⑧定形处理。

# 32页深绿色作品

**材料**：5号跑马线 200厘米1条
6号跑马线 30厘米4条、
50厘米1条
圆形玉佩1只（5.3厘米）
小玉环2只
玉珠10粒

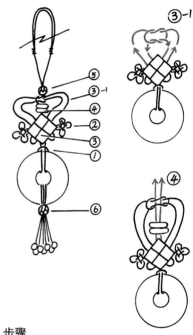

**步骤**

① 5号跑马线中心点对折，套上玉佩。

②甲、乙两线在35厘米处编酢浆草结。

③盘长结，用乙线先编法，并在甲线第10
转点处，乙线第22转点处打上空心平
结。

④两线头穿过两个小玉环与平结中间。

⑤抽，调整到理想形状再编组扣结。

⑥下层部分编坠珠串。

⑦定形处理。

# 33页三回盘长结作品

**材料**：5号斜纹线 240厘米1条
　　　　6号金葱线 150厘米1条
　　　　椭圆形陶珠 （大）1粒
　　　　6号跑马线 70厘米1条、
　　　　50厘米3条
　　　　陶珠10毫米8粒

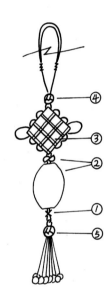

**步骤**：

① 5号斜纹线自中心点编组扣结，挂耳留0.5厘米，供坠珠串勾连。

② 穿椭圆珠（注意花纹须倒置），编双联结。

③ 编三回盘长结并锦心穿绕。

④ 编组扣结。

⑤ 坠珠串制作。

# 33页倒复翼盘长结作品

**材料**：5号斜纹线 350厘米1条
　　　　6号银色金葱线 180厘米1条
　　　　6号跑马线 50厘米3条、70厘米1条
　　　　古银饰珠（内径1毫米）1粒
　　　　黑玛瑙珠10毫米8粒
　　　　吸盘1只

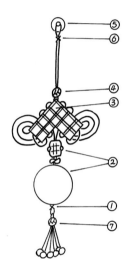

**步骤**：

① 5号斜纹线，自中心点编组扣结，挂耳留0.5厘米，供坠珠串勾连。

② 穿过古银饰珠，再编藻井结。

③ 编倒复翼磬结，因要锦心穿绕，请特别注意结体线留出空间来。

④ 倒复翼磬结须全部调整到理想形状，再编组扣结。

⑤ 如要加挂吸盘，请先量好挂耳长度或尾线不要剪断。

⑥ 调绳结。

⑦ 坠珠串。

# 36页回形盘长结作品

**材料**：5号斜纹线 白色170厘米1条，
粉红色250厘米1条
6号跑马线 30厘米2条
穗子线15条
饰珠（内径4毫米）1粒
玉珠4粒
大孔玉珠6毫米1粒

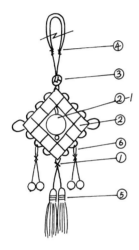

**步骤**：

①两线合并，在15厘米处编双联结。

②回形盘长结编结方法。

②－1，回形盘长结绕到"补穿编结法"
将去线延长，穿过饰珠再穿大孔玉珠，
由原孔穿回，即可将饰珠顶住，继续
编未完成的过程。

③回形盘长结须调整到满意形状才可继
续编组扣结。

④做调绳结。

⑤束腰型穗子一边各7条。

⑥把6号跑马线挂在指定结耳上面，编
双联结，穿珠子。

# 36页幸运盘长结作品

**材料**：5号斜纹线 280厘米1条
6号跑马线 70厘米1条、
50厘米3条
配饰1枚
大孔木珠1粒
坠珠6粒

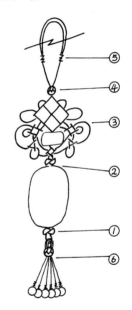

**步骤**：

①5号斜纹线自中心点编组扣结，挂耳
留0.5厘米，供坠珠串勾连。

②两线头穿过配饰，再编棕串结。

③编幸运盘长结。

④抽整直到满意再编组扣结。

⑤编调绳结。

⑥坠珠串。

# 37页法轮结作品

**材料**：5号斜纹线 350厘米1条
大圆饰珠1粒
珍珠10毫米8粒
6号跑马线 200厘米1条

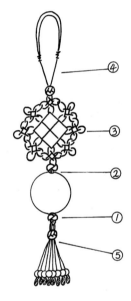

**步骤**：

①5号斜纹线，自中心点编纽扣结，挂耳留0.5厘米，供坠珠串勾连。

②两线头穿过大圆饰珠，编粽串结。

③编法轮结。

④抽，将结体调整到满意形状再编纽扣结与调绳结。

⑤坠珠串。

# 37页红色三回盘长结组合作品

**材料**：5号斜纹线 280厘米1条
6号跑马线 50厘米1条、
70厘米1条
大铜佩1枚
坠珠8粒
大孔玛瑙珠1粒
小玛瑙环1只

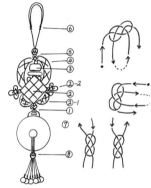

**步骤**：

①5号斜纹线中心点对折，以套结绑住铜佩，编粽串结。

②编三回盘长结，在甲线第3与第5转点处和乙线第17与第19转点处各编一个双钱结。

②－1，在甲线第7转点处和乙线第21转点处各编一个酢浆草结。

②－2，在甲线第10转点处、乙线第24转点处，将结耳留约4厘米，准备编双钱结。

③两线头穿过小玛瑙环及玛瑙珠。

④甲、乙两线再与两边结耳编双钱结。

⑤编酢浆草结与纽扣结。

⑥调绳结。

⑦定形处理。

⑧坠珠串。

## 16页倒复翼磬结作品

**材料**：6号跑马线 350厘米1条
　　　玻璃饰珠1粒
　　　小水晶珠8粒
　　　6号跑马线 110厘米（20厘
　　　米3条、50厘米1条）

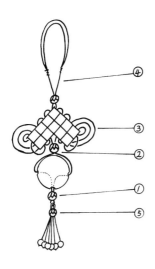

**步骤**：

● 本作品看起来比较简单，但因6号跑马线比较细，在抽线方面比5号线难抽很多，所以要特别耐心才能编得好看。

① 6号跑马线中心点对折，编组扣结，挂耳留0.5厘米，供坠珠串勾连。

② 两线头穿过饰珠孔洞，编组扣结。

③ 倒复翼磬结。

④ 将结体抽到满意形状，再编组扣结与调绳结。

⑤ 坠珠串制作。

⑥ 定形处理。

## 16页开屏盘长结作品

**材料**：6号跑马线 280厘米1条
　　　蜜蜡1枚
　　　穗子线15条

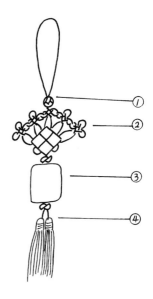

**步骤**：

① 6号跑马线中心点对折，留出预定挂耳长度，编组扣结。

② 开屏盘长结编法。

③ 编粽串结穿蜜蜡，编粽串结。

④ 束腰形穗子。

## 34页玛瑙玉佩作品

**材料:** 6号跑马线 370厘米 1条
玛瑙玉佩 1枚

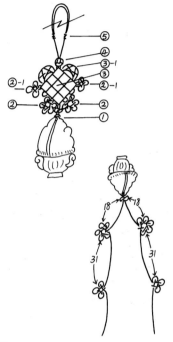

**步骤:**

① 6号跑马线中心点对折,以套结绑上玉佩,编粽串结。

② 甲、乙两线距18厘米处各打一个团锦结,在31厘米处各编一个酢浆草结。

③ 编三回盘长结,甲线在第10、12转点处,乙线在第24、26转点处各编一个双钱结。

④ 抽,将结体调整到满意形状再编组扣结。

⑤ 编调绳结,并在结体最佳形状时定形处理。

## 34页深咖啡色作品

**材料:** 6号跑马线270厘米1条(含挂耳)
古玉佩饰 1枚
穗子线 12条

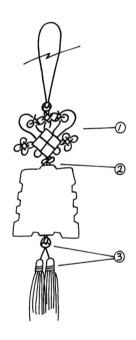

**步骤:**

① 量好挂耳长度,编如意盘长结,如果尚未学会徒手式编结方法,在第一个编结完成即转至二回盘长结方法。

② 将结形调整到理想形状再编粽串结,穿过古玉佩饰。

③ 纽扣结编出,会有多余空间,把多余空间抽紧,再制作束腰形穗子。

# 14页粉红色作品

**材料**：5号粉红色斜纹线 350厘米1条
　　　　5号绿色斜纹线 120厘米1条
　　　　圆形陶瓶1只
　　　　陶珠8毫米8粒
　　　　6号跑马线 70厘米1条、
　　　　50厘米3条

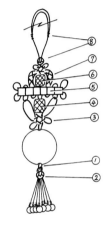

**步骤**：

①粉红色斜纹线中心点对折，暂时打结，留约1厘米挂耳，供珠勾连用。

②6号跑马线编制坠珠串。

③编团锦结，上面两个结耳要先预留3厘米（请注意本作品是倒着编制）。

④用绿色斜纹线编套箍结至理想形状，再将两线头穿过。

⑤编长盘长结，记住要在甲线第4转点处、乙线第10转点处勾连下层的团锦结，在甲线第31转点处、乙线第24转点处要空出3厘米的结耳。

⑥再用绿色斜纹线编套箍结。

⑦甲、乙两线再穿过套箍结，与长形盘长结的两个结耳编双钱结。

⑧编耳部勾连的团锦结，并将结体调整至满意的形状再编纽扣结与调绳结。

# 14页乳白色作品

**材料**：4号跑马线　350厘米1条
　　　　6号跑马线 红、深绿色60厘米各1条，乳白色70厘米1条、50厘米3条
　　　　穗子线 乳白色8条
　　　　饰珠（大）1粒
　　　　陶珠8毫米8粒
　　　　长针2支
　　　　梅花穗盖（中）2个

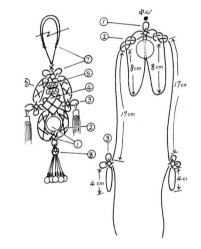

**步骤**：

①按上图的指示编酢浆草结，两线头穿过饰珠。

②以酢浆草结两边的结耳与两线头编双钱结，结间对折长度8厘米。

③在双钱结17厘米处两边各编一个酢浆草结，向外的结耳长度留4厘米。

④用乙线先编法，编盘长结。

⑤6号跑马线红、深绿色各编组扣结。

⑥拉线头与酢浆草结的结耳合编双钱结。

⑦编团锦结，将结体调整好再编调绳结。

# 35 页吉庆(磬)有余(鱼)作品

**材料**：4 号金葱线 蓝色、红色 450 厘米
各 1 条
4 号斜纹线 黄色 470 厘米 1 条
6 号金葱线 250 厘米 2 条
单股金葱线 200 厘米 2 条
穗子线 32 条
大圆陶珠 1 粒
金珠 6 毫米 4 粒
穗子套管 2 只

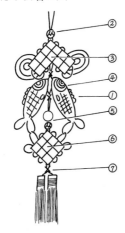

**步骤**：
① 先将鲤鱼结编制完成。
② 4 号黄色斜纹线取中心点对折，量出挂
耳长度编组扣结。
③ 编复翼磬结、双联结。
④ 甲、乙两线穿过鲤鱼结，编双联结。
⑤ 穿入陶珠，编组扣结。
⑥ 编三回盘长结，在第 5、19 转点处结耳
须勾连鲤鱼结尾部。
⑦ 编双联结，制作套管穗子。
△ 另有单只吉庆有余，制作方法与上图大
致相同，只是甲、乙两线需直接穿过鱼身。

# 35 页祥龟庆寿作品

**材料**：5 号斜纹线 金葱线红色 330
厘米 1 条 乳白色、浅绿色
150 厘米各 2 条
6 号金葱线 70 厘米 2 条
穗子线 12 条
金色铃铛 4 只
小双圈（挂铃铛用）4 只
金珠 4 毫米 4 粒

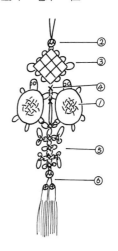

**步骤**：
① 先制作完成两个寿龟结。
② 5 号斜纹线取中心点对折，量出挂耳长
度编组扣结。
③ 编三回盘长结。
④ 在第一个双联结编完，须将寿龟结脚
勾连，再编一个双联结使寿龟结不致
掉落。
⑤ 编寿龟结，第一个酢浆草结的结耳须
勾连寿龟结的后脚。
⑥ 将前面结体调整至理想形状，再编组
扣结与十字结穗子。

# 38页墨绿色双钱套环结作品

**材料**：5号跑马线 650厘米1条
　　　铁圈1只
　　　玉佩1枚（外径约5.2厘米）
　　　中号套管2只
　　　穗子线42条

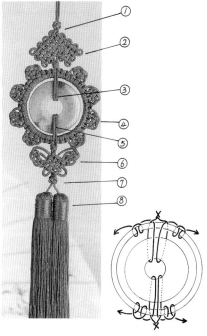

**步骤**：
①5号跑马线中心点对折，量好挂耳长度
　编纽扣结。
②编磬结、双联结。
③套环结勾连玉佩。
④套环结编双钱结。
⑤套环结勾连玉佩。
⑥双联结、盘长结、蝴蝶结。
⑦纽扣结、套管式穗子。
⑧定形处理。

# 38页金棕色复翼套环结作品

**材料**：5号跑马线 金棕色750厘米1条
　　　玉佩1枚（外径5.2厘米）
　　　铁圈1只
　　　穗子线32条
　　　中号套管2只
　　　6号跑马线 150厘米2条（芯
　　　线抽掉）

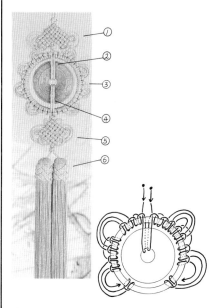

**步骤**：
①5号跑马线中心点对折，量好挂耳长度
　编纽扣结与复翼磬结。
②编双联结，勾连玉佩。
③复翼套环结。
④勾连玉佩，编棕串结。
⑤编复翼盘长结、双联结。
⑥制作套管式穗子，用套箍结穿三层束
　紧。

# 39 页太阳结作品

**材料**：5 号跑马线 750 厘米 1 条
配饰 1 枚
铁圈 1 只
玉珠（大孔）1 粒
穗子线 42 条
穗子套管（中）2 只
单股金葱线 180 厘米 2 条

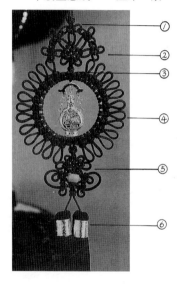

**步骤**：

①跑马线中点对折，量好挂耳长度
编组扣结。

②编开屏盘长结。

③棕串结，套环结勾连配饰。

④攀缘结。

⑤纽扣结、幸运盘长结。

⑥双联结、制作套管式穗子。

# 39 页双色套环结作品

**材料**：5 号跑马线 枣红色 450 厘米，
金棕色 300 厘米各 1 条
铜佩（大）1 只
穗子线 枣红色 42 条，金棕色
150 厘米 2 条
铁圈 1 只
穗子套管（中）2 个

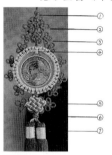

**步骤**：

①取枣红色 5 号跑马线中点对折，量好挂
耳长度编组扣结。

②编如意结。

③二回盘长结，甲、乙两线各编一个酢浆
草结，调整完毕后编棕串结。

④取金棕色跑马线，自中点开始先以套
环结勾连铜饰，同时将枣红色线头分
两边与铁圈平行当"芯"，让套环结包
住，编到预定长度再将枣红色跑马线
取出，编一个酢浆草结。以此方法分两
边将铁圈编完。

⑤以枣红色跑马线编棕串结与盘长结，在
角耳处编酢浆草结，同时预留结缝让
金棕色跑马线做锦心穿绕。

⑥枣红色跑马线编组扣结，其余线头穿过
结心。

⑦做套管式穗子，以金棕色跑马线作束腰
处理。